哇哦！中国古代科技了不起

生活与工业

白　欣　主编
王奕琳　著
牛猫小分队　绘

大连理工大学出版社

图书在版编目（CIP）数据

生活与工业 ／ 王奕琳，牛猫小分队著、绘. -- 大连 ：
大连理工大学出版社，2024. 10. --（哇哦！中国古代科
技了不起／白欣主编）. -- ISBN 978-7-5685-5170-0

Ⅰ. D691.93-49；F429.02-49

中国国家版本馆 CIP 数据核字第 2024JM7290 号

生活与工业 SHENGHUO YU GONGYE

出 版 人	苏克治		策划编辑	苏克治　遆东敏
责任编辑	陈 玫　海迎新		责任校对	邵 青　董歃菲
责任印刷	王 辉		封面设计	丫丫书装　张亚群
美术指导	苏岚岚		漫画主创	赏 鉴　吕箐莹　周 励　虞天成
版式设计	牛猫小分队		漫画助理	冯逸芸　陈天宇
设计执行	郭童羽			

出版发行	大连理工大学出版社			
地　　址	大连市软件园路 80 号		邮政编码	116023
邮　　箱	dutp@dutp.cn		电　话	0411-84708842（发行）
网　　址	http://dutp.dlut.edu.cn			0411-84708943（邮购）

印　　刷	大连天骄彩色印刷有限公司			
幅面尺寸	185mm×260mm		印 张 5　字 数 132 千字	
版　　次	2024 年 10 月第 1 版		印 次	2024 年 10 月第 1 次印刷
书　　号	ISBN 978-7-5685-5170-0		定 价	66.00 元

主编简介：白欣

　　白欣，首都师范大学初等教育学院教授，博士生导师，主要从事科技史与科学教育、博物馆教育与综合实践活动研究。入选青年燕京学者。主持国家自然科学基金三项，发表学术论文和科普文章 200 多篇。主编或出版科普图书 40 多本。

作者简介：王奕琳

　　王奕琳，中国人民大学博士，中国科学院与中国科普研究所联合培养博士后。北京科学中心副研究馆员。

绘者简介：牛猫小分队

　　牛猫，本名苏岚岚，本科毕业于中国美术学院，硕士毕业于法国比利牛斯高等艺术学院。"谢耳朵漫画"联合创始人，是童书作者也是绘者。擅长设计，喜欢画画，喜欢编段子，喜欢不断突破自己去创新。开创了用四格漫画组成"小剧场"来传播科学知识的形式，代表作品有《有本事来吃我呀》和《动物大爆炸》等。

　　牛猫小分队的另一位核心成员叫赏鉴，是本书的漫画主笔，他画的漫画在全网有 5 000 万以上的阅读量。

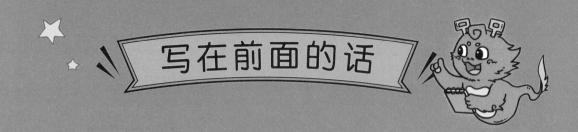

写在前面的话

亲爱的小读者们,

当你们翻开这套"哇哦!中国古代科技了不起"的那一刻,就像推开了一扇通往古老智慧宝库的大门。在这里,我们将一同踏上一段奇妙旅程,穿越时空隧道,探寻那些曾经照亮人类文明进程的科技之光。

在历史的长河中,中国古代科学技术以其独特的魅力和深远的影响,成为人类文明的重要组成部分。造纸术、印刷术、火药、指南针,这些耳熟能详的伟大发明不仅推动了中国科技的发展,也对世界文明产生了不可估量的影响。

我们精心挑选了五大领域的经典科技成就,通过科学漫画的形式,将复杂深奥的科学原理转化为生动有趣的故事情节,让你们能轻松愉快地走进古代科技的世界。从圭表测量日影的精准,到漏刻计时的巧妙;从被中香炉的神奇,到纺织工具的精妙;从都江堰的壮丽,到弓形拱桥的跨越;从倒灌壶的奇妙,到印刷术的革新……每一个章节都充满了惊喜和发现,等待着你们去探索和体验。

中国古代科学技术的许多成果,如农业技术、水利工程等,都是通过实践得出的。书中特别设计了动手实验环节,配置了丰富的材料包,大家通过亲自动手操作,不仅可以再现伟大的发明,还能培养动手能力,提升解决实际问题的能力。中国古代科学技术往往涉及多个学科,如数学、物理、化学等,这种跨学科的特点也为大家提供了一

个综合性的学习平台，可以培养综合思维能力。中国古代科学技术的发展过程，体现了严谨的科学态度和科学方法。阅读书中的内容，可以树立正确的科学观，潜移默化地培养批判性思维和逻辑推理能力。

我们希望通过这套书，激发你们对科学的兴趣，培养你们的科学思维，让你们在享受阅读乐趣的同时，感受到中国古代科技的独特魅力和深远影响。

同时，我们也希望这套书能够成为你们了解祖国悠久历史和灿烂文化的窗口，更加深刻地感受到中华民族的伟大。我们相信，在未来的日子里，你们一定会成为能够担当起民族复兴重任的时代新人，以智慧为舵，勇气为帆，乘风破浪，开创更加美好的未来。

让我们携手共进，一起探索中国古代科技的奥秘吧！愿你们在未来的道路上，不断前行、不断超越，成为那个最了不起的自己！

祝愿你们阅读愉快！

白 欣

2024 年 9 月 30 日

扫码观看
时光通识课

欢迎小朋友和我一起阅读呀！

茶水从我底部灌进去，所以我叫倒灌壶。

目　录

传说，上古神兽白泽，通晓世间万物，所到之处，所言之事，都能引起惊叹，孩童们不约而同地喊出"哇哦"。

"哇哦"之音逐渐在白泽身边凝集，幻化成一只灵动可爱的小神兽，唤作"哇哦"！

1 瓷壶"心"荡漾——倒灌壶

在陕西历史博物馆展厅中，大家正在观赏青釉提梁倒灌壶。青釉提梁倒灌壶的壶身为球状，造型像一个倒置的团柿。这件倒灌壶用凤凰做壶把，用狮口做壶嘴，用牡丹图案缠绕壶身，非常漂亮。

哇哦！有鸟中之王凤凰的灵气！

哇哦！有兽中之王狮子的霸气！

哇哦！有花中之王牡丹的贵气！

中心通心管底部连接壶底梅花形小孔，上端则高于壶中的水面，这样我正着放的时候壶底的小孔不会漏水。另一个通心管在壶嘴处，也可以确保向壶中倒水时水不会从壶嘴洒出来。这里用到了连通器液面等高原理。

这个原理我没听过，和我说说呗！

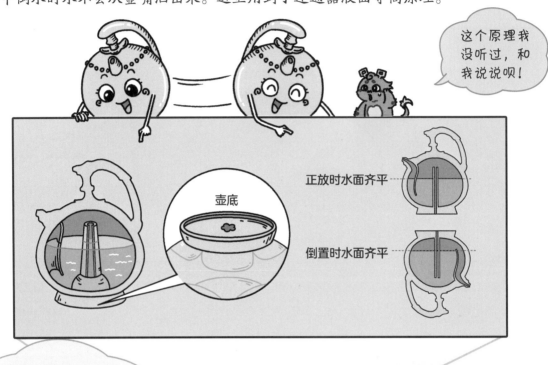

壶底

正放时水面齐平

倒置时水面齐平

我肚子里的通心管就是一种连通器，当连通器中只有一种液体，且液体不流动时，容器中的各液面总是保持相平，这就是连通器液面等高原理。

你应该算是古代的"高科技产品"了吧？体现了古代工匠的科技知识。

这个科技知识可不只体现在我们倒灌壶家族上，还有更高级的应用呢，比如广西灵渠这样的水利工程。

哇哦，还能应用到水渠上呢，快给我讲讲。

广西灵渠

　　我国古人很早就懂得应用连通器的原理，船闸就是我国古人智慧的结晶。广西灵渠于公元前 214 年凿成通航，是我国古代著名的水利工程。灵渠的陡门就是最早的船闸雏形，它便利用了连通器的原理。

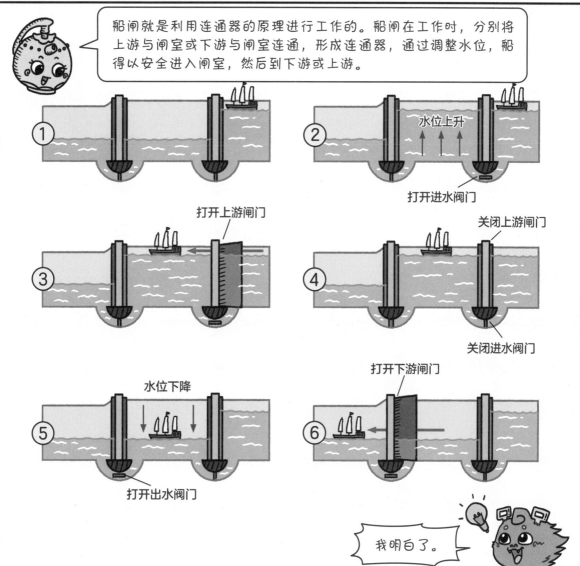

船闸就是利用连通器的原理进行工作的。船闸在工作时，分别将上游与闸室或下游与闸室连通，形成连通器，通过调整水位，船得以安全进入闸室，然后到下游或上游。

①

② 水位上升　打开进水阀门

③ 打开上游闸门

④ 关闭上游闸门　关闭进水阀门

⑤ 水位下降　打开出水阀门

⑥ 打开下游闸门

我明白了。

后来，我的后代 "两心壶" 也被发明出来了。两心壶可以同时注入、倒出两种不同的酒，大家也叫它 "鸳鸯壶" 或 "阴阳壶"。

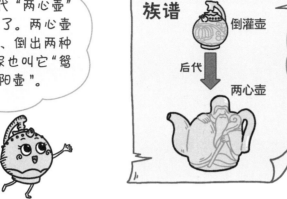

族谱

倒灌壶

后代

两心壶

哇哦！能同时装两种酒还不会混到一起，那真是太神奇了！中间是被隔开了吧？

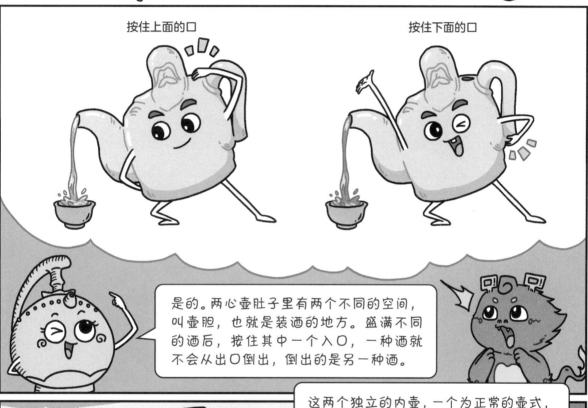

按住上面的口

按住下面的口

是的。两心壶肚子里有两个不同的空间，叫壶胆，也就是装酒的地方。盛满不同的酒后，按住其中一个入口，一种酒就不会从出口倒出，倒出的是另一种酒。

这两个独立的内壶，一个为正常的壶式，一个是倒装结构的倒流壶。两个内壶是独立的，不会相通，但共用一个出口。机关就藏在两个注水孔之中。这里利用了气压原理。

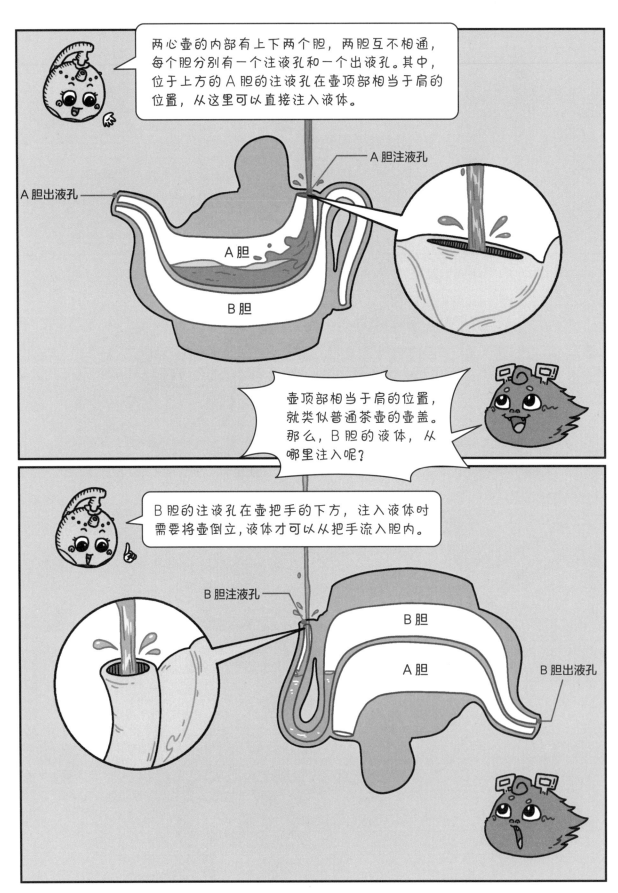

向 A、B 两胆注入不同液体后，将 A、B 两胆的注液孔堵住。两胆内上方空气体积由于液体的下降而变大，压强随之变小，降到一定程度时，外部大气压强和壶内压强相等，液体不会流出来。

仅将 A 胆的注液孔堵住时，B 胆内液体和大气完全相通，B 胆内液体能够流出。

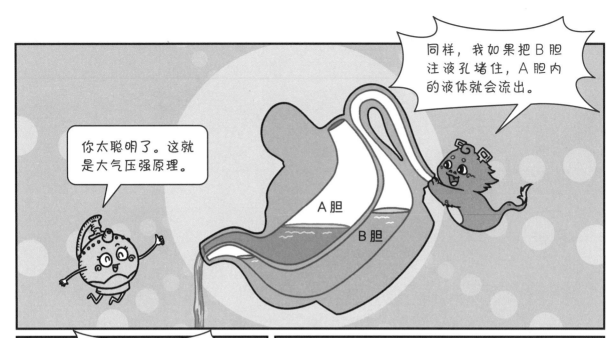

同样，我如果把B胆注液孔堵住，A胆内的液体就会流出。

你太聪明了。这就是大气压强原理。

A胆

B胆

我们的瓷器真是太棒啦！既美观，又蕴含科学原理。

瓷器是中国古代文化重要的组成部分，它的发明和发展经历了漫长的历程。

瓷器的制作不仅是一项技术活，更是一项艺术活。瓷器上的纹饰、图案和色彩都是通过精湛的制造工艺所创造出来的。

瓷器是中国古代文明在制造和使用方面的重要成就,是中华文化的重要象征。

瓷器的制作技术和造型艺术已经传播到世界各地,成为不同文化之间交流和融合的重要工具。

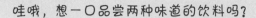

动手实验 制作两心壶

哇哦，想一口品尝两种味道的饮料吗？

想呀想呀，我还没有喝过这样的饮料呢。

实验材料	饮料瓶、食用色素（蓝色、黄色）、纸盒、吸管、透明胶带、锥子、剪刀、橡皮泥。

实 验 步 骤

第1步 用锥子在两个饮料瓶的中部扎两个大小适中的孔（大拇指能够堵住即可），用透明胶带将其捆扎在一起，两个孔置于同侧。

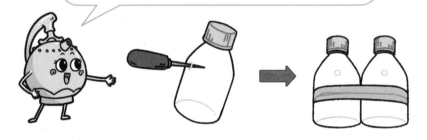

第2步 用锥子在瓶盖上扎一个圆孔，使吸管能够穿过孔洞。用橡皮泥把瓶盖上圆孔和吸管连接的位置密封好，确保不会漏水和漏气。

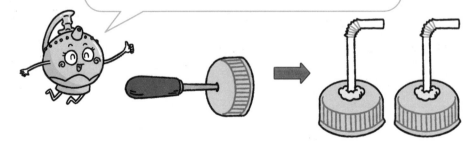

第3步 将两个瓶子注水，向水中分别滴入蓝色和黄色食用色素，制成蓝色水和黄色水。拧紧瓶盖，用透明胶带将两根吸管捆绑好。这就是壶胆。用锥子在纸盒上打孔，把捆绑好的两个瓶子放进纸盒中，让纸盒上的孔对准饮料瓶上的孔，自制两心壶就做好了。

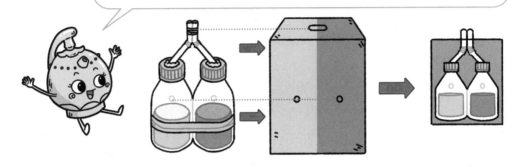

第4步 从两心壶往外倒水时，用两个大拇指分别按住饮料瓶上的两个孔，松开哪只手，松开手的这个瓶子里的液体便会流出来。

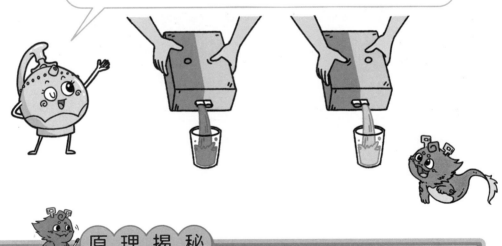

原理揭秘

　　两心壶主要基于大气压强和连通器的原理制成。壶体内设计有两个互不相通的腔体，分别装有不同的液体，通过控制两个小孔的开闭，可以实现壶内液体的自由切换。

2 悠远的历久"迷"香——酿酒

春节是团聚的节日，家家户户的厨房都香飘四溢，团圆饭总是少不了美酒相助，觥筹交错是节日里的旋律。美酒祝词后的干杯总少不了那一句感叹：哇哦，好酒！

哇哦！这酒清香柔和。

哇哦！这可是十年陈酿。

说着，酒小酿带着哇哦来到酒厂，一边看一边讲。

在中国，酒的生产历史悠久。用酒曲酿酒的技术，最早就产生于中国，比欧洲早3000多年，这与中国悠久的农业文明史有关。

那么早就有酒了呀？

是啊。《诗经》中有"八月剥枣，十月获稻，为此春酒，以介眉寿。"的诗句，表明当时酒已经成为中国人经常饮用的饮品了。

八月剥枣，

十月获稻，

为此春酒，

以介眉寿。

《诗经》

这么久远的酿酒工艺是什么样的呢？

酿酒的原理是利用微生物发酵产生一定浓度的酒精。酒精的形成需要具有一定的物质条件和催化条件，糖分是酒精发酵的重要物质，酶则是酒精发酵必不可少的催化剂。当然，实际操作的时候要复杂很多。

发酵？酶？是什么呢？

我给你举个例子吧！苹果放了很久之后会烂掉，发出一股奇怪的味道，那个就是酒精的气味儿。这个变化的过程，叫"发酵"。在发酵过程中，需要糖分和酶。

哇哦！听起来好像是个神奇的过程。

是呀。在这个过程中，酶的作用就相当于助手，就像你玩游戏时的小伙伴，而且是能帮你胜利的小伙伴哦。

我们以白酒为例，白酒酿造的基本原理和工艺流程主要由6个步骤构成：原料处理、淀粉糖化、制曲、酒精发酵、蒸馏取酒、老熟陈酿。

原料处理

淀粉糖化

制曲

酒精发酵

蒸馏取酒

老熟陈酿

哦哦。

首先要为酿酒选制作原料。一般将高粱、玉米、小麦、大米、糯米、大麦、荞麦、青稞等粮食和豆类等作为原料。还要求这些原料的颗粒均匀饱满、新鲜、无虫蛀、无霉变、无异杂味、无其他杂物。

高粱

玉米

荞麦

大米

青稞

哇哦，酒是用这些原料做的呀！

是的。选好原料之后，就是制曲的过程啦。白酒酿造需要用谷物制成酒曲，再用酒曲中所含的酶制剂将谷物原料糖化发酵成酒。

酒曲

谷物原料　　糖化　　酒

酒曲？将谷物糖化？发酵成酒？哇哦！好复杂呀。

别急！我们先来看看酒曲。首先我们要知道，曲是提供酿酒用的各种酶的载体，而酶会对后面的制酒环节起到重要作用，也就有了曲是酒之母的说法。

酒曲好神奇啊！

具体做法就是将选好的原料，经粉碎、加水制成块或饼状，在一定温度下培育成酒曲。

酒曲中含有丰富的微生物和培养基成分，如霉菌、细菌、酵母菌、乳酸菌等。霉菌中有曲霉菌、根霉菌、毛壳菌等有益菌种。

哇哦！这些菌，听起来好像不是好东西呀。

酵母菌

霉菌

乳酸菌

......

......

不不，这些菌都是益生菌，它们都是酿酒的小助手。因为这些菌类的作用，才能引起后面的神奇变化。

糖化

它们是怎么发挥作用的呢？

在这些菌类的作用下，谷物中的淀粉便可以糖化。所以酒曲是酿酒的糖化剂。而谷物原料糖化之后，才能发酵。

发酵？

是的。酒精是发酵过程的产物。发酵是一个非常复杂的生化过程，需要很多酶参与。这些酶就是上面说到的酒曲提供的。

哇哦！酒曲果然很重要呀！

发酵的过程需要一定的条件，包括温度、氧气和营养物质等。一般来说，酿酒发酵的最适温度为 20~30℃，氧气浓度应该控制在一定范围内。

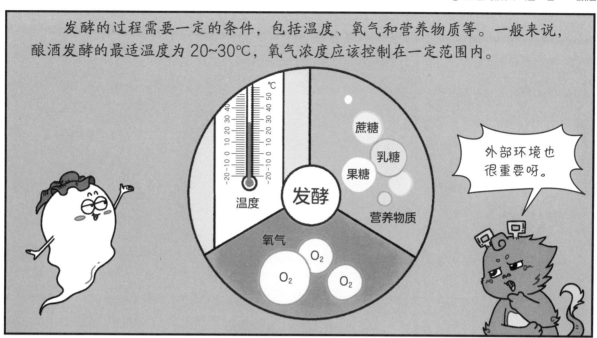

接下来就是蒸馏取酒。蒸馏是提取酒液的主要手段。

酿酒原料经过发酵后获得酒精和水分。那么如何将酒精分离为气体和液体呢？这就要利用沸点的差值。

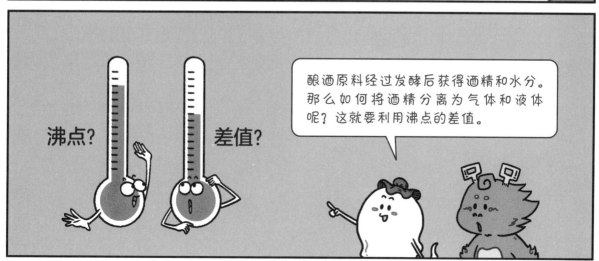

什么是沸点呢？

沸点
? ℃

沸点就是烧水的时候，水开了，水面沸腾时候的温度。酒精的沸点就是酒精沸腾时候的温度。

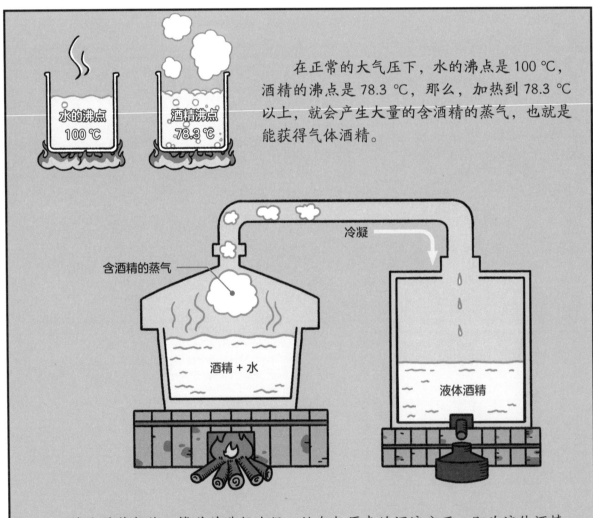

水的沸点 100℃

酒精沸点 78.3℃

在正常的大气压下，水的沸点是 100 ℃，酒精的沸点是 78.3 ℃，那么，加热到 78.3 ℃以上，就会产生大量的含酒精的蒸气，也就是能获得气体酒精。

冷凝

含酒精的蒸气

酒精 + 水

液体酒精

将这种蒸气收入管道并进行冷凝，就会与原来的酒液分开，即为液体酒精。这样就能形成高酒精含量的酒品。

很神奇吧？酒的品质取决于其蒸馏温度。在加热过程中，水分和其他物质会掺杂在酒精之中，随着温度的变化，掺杂的情况也随之变化，蒸馏温度在78.3~100 ℃之间取得的酒品被称作"酒心"，是质量最好的。

这其中还有一道过滤工艺。在古代，酒的过滤技术并不成熟的时候，酒是呈浑浊状态的，分为白酒和浊酒。

后来，随着工业技术的发展，有了过滤精度和效能高的酒用过滤机，才有了我们今天喝到的清澈透明的酒。

现在的酒质看起来都清澈干净。

其实，要想品尝到品质上好的香醇白酒，还需要有一步加工。

还有一步？

人们认为白酒是具有生命力的，糖化、发酵、蒸馏等一系列工艺的完成，并不能说明酿酒全过程就已终结。因为新酿制成的酒品一般粗劣淡寡，所以新酒必须经过特定环境的窖藏，也就是经过一段时间的贮存。之后，才能得到醇香的酒质。通常将这一新酿制成的酒品窖藏贮存的过程称为陈酿。

陈酿？

刚生产出来的新酒，有辛辣味且不醇厚，只能算半成品。一般都需要贮存一定时间，让其自然老熟，可以减少新酒的刺激性、辛辣味，使酒体绵软适口、醇厚浓香，这就叫陈酿。

当然，陈酿也有一定的限度，并不是越陈越好，要根据酒型、气温等各方面的条件决定。世界上很多名酒之所以味道独特，与其陈酿的方法有密切关系。

通过品酒，人们可以获得更多文化信息和精神内涵，例如酿酒师的精湛技艺、地方特色、民俗文化等。我国勤劳智慧的古人，运用酿造技术创造出醇香的美酒，缔造出属于我们的酒文化。

动手实验 制作葡萄酒

我们来试着制作酒吧。

真的可以吗？我们真的能自己做出酒吗？

当然，一起来试一下吧！

实验材料 葡萄、糯米、蒸锅、水、甜酒曲、盆、保鲜膜、碗、勺子、玻璃瓶。

实 验 步 骤

第1步

把洗干净的葡萄和糯米一起蒸熟、放凉，放入白开水和甜酒曲，抓拌均匀。

第2步

把抓拌好的糯米、葡萄放入盆中按压紧实，在中间用勺子之类的工具挖出一个洞，用保鲜膜包住，放在温暖处发酵2天。

第3步

发酵2天后出汁，再加入白开水继续发酵1天。

第4步

把发酵出的酒汁煮开，装瓶密封保存。

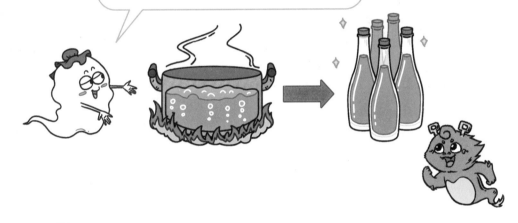

原 理 揭 秘

　　葡萄酒的制作原理是一个复杂的过程，简单来说就是葡萄中的糖在酵母菌的作用下转化为酒精和二氧化碳的过程。在这个过程中，新鲜的葡萄转化为美味的葡萄酒。

哇哦，从这些图书上可以看到古代先贤留给我们的智慧。

你好，我叫文小印！

你好，我叫哇哦！

哇哦，随我来吧！我带你看看我们图书中文字的成长经历。

自从造纸术发明之后，人们就开始使用轻便的纸张作为书写的材料，也就是把文字写在纸上，而不必写在之前的竹简上了。

但是，还有一个问题，如果想让书本文字被更多的人看到并阅读，就需要在很多纸上，写同样的文字、同样的内容。

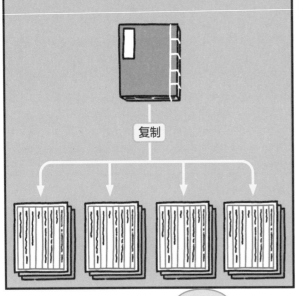

在很长时间里，这样大量重复的文字，是要用手工抄写来完成的。这就是最原始的"复印"。

那一本书就要抄很久呀。

是的，用这样抄写的方式"复印"很多本书，需要很多人用很长时间才能完成。而且，还特别容易抄错。

嗯嗯嗯,是的,我也经常抄错。

因此,中国的先贤和能工巧匠们就发明了一种方便灵活、省时省力,能够克服手抄书缺点的方法,这就是印刷术。

印刷术

哇哦!快给我讲讲神奇的印刷术。

别着急,在讲印刷术之前,我要先给你介绍一下印章和拓石,这是发明印刷术的基础。

印章 拓石

印章和拓石是什么呀?

封泥

印章的使用不仅限于盖章,还包括了拓石的方法,即将湿纸覆盖在石碑或石刻上,用墨打拓其文字或图案,这种方法称为拓石。中国很早就有印章了。在造纸术还没发明之前,文字是写在竹子等简牍上的。在没有信封的年代,就用泥封住简牍,然后在泥上加盖印章,这样就相当于把简牍装进了信封。

造纸术发明后，有了信封之类的东西，就直接在封口处盖上印章。

那么印章是什么样的呢？

你看，这是拓印，源于印章原理，拓印是将印章上的图案或文字复制到纸上的过程。

在器物表面雕刻出想要的图案（以凹凸形式呈现）。然后用大小合适的纸盖上，润湿纸张使其完全附着在凹凸图案上，等纸张干燥后，用拓包蘸墨，使墨均匀地涂在纸上，最后再把纸揭下来，这样纸上就印上了我们想要的图案。

① 雕刻图案

② 盖上纸

③ 润湿纸张

④ 用拓包拓印

⑤ 把纸揭下来就完成了

现在，你明白印章的原理了吗？

明白了。就是把雕刻的图案印在泥上或纸上。

是的。这就是古人从印章原理得来的灵感，从而产生了雕版，也就是把图案或很多文字雕刻在大板子上，然后盖纸、刷墨，这样反复，就能印出很多雕版上的内容啦。

大约在公元7世纪的隋末唐初，人们根据刻印章的原理，发明了雕版印刷术。

那么，印刷术就要诞生了吧？

哇哦！好棒！

雕版印刷是运用刀具在木版上雕刻文字或图案，再用墨、纸、绢等材料刷印、装订成书籍的一种特殊技艺。雕版印刷的工艺流程也是非常复杂的，主要包括写版、上样、刻版、刷印、装订等。

① 写版

② 上样

③ 刻版

④ 刷印

⑤ 装订

这么多道工序呀！

是呀。

雕刻一次版式，就可以反复复印很多份，嘿嘿嘿~就是说从此就可以大量印刷啦。

你想的是对的。

雕版印刷其实还有一些缺点，比如在刻版上雕刻文字很费时，文字多时也很容易漏刻、错刻。你想想是不是这样？

是这样的呀。

还有，雕刻好的版片不用的时候，需要放在库房保存。再次使用时，也许就被蛀虫等咬蚀，或者因为潮湿等原因变形。

再说，保存这些版片也很占地方。这些缺点也促使雕版印刷术进一步改进。

咱们的古人真是太有进取心啦。

是的！

到了宋代，一个叫毕昇的年轻印刷工人发明了最早的活字印刷。比德国的约翰·古腾堡发明的铅活字印刷术早约400年。

哇哦！印刷术变活了？

领先400年！

毕昇

约翰·古腾堡

哈哈，可以这么说，从此文字就变活了！活字印刷的具体步骤主要包括用胶泥刻字、烧字、排版、印刷等。

刻字
↓
烧字
↓
排版
↓
印刷

好像步骤变少了。

是的。跟雕版印刷相比，这种印刷的优点是成本低廉，活字能够反复使用且容易储存和保管，不占过多空间。

雕版印刷

活字印刷

先制成单字的反文字模，在泥质或其他材质上雕刻出想要的文字，也就是字模。这里要特别强调一下，一定要是反字哦，这样印出来的字才能是正的。

字模

具体是怎样的过程呢？

然后，按照文书内容挑选出需要的单字，排列在字盘内，把所有字模固定在一起。

之后，在字模上涂墨，附上纸张。

揭下纸张就完成一次印刷了。

如果需要复印多份，就反复在字模上刷墨、附纸，是吧？

是呀。印完后，将字模拆出字盘，留待下次排印时使用。这就是说，如果下次需要复印的文字有与此次相同的文字，就不需要再做字模了，直接用就可以啦。

印刷术的发明对文化的发展起着重要的作用。中国是印刷技术的发明地，很多国家的印刷技术或是由中国传入，或是受到中国的影响。它促进了文化的传播，使书籍和资料得以流传，方便了人们印刷书籍、传播知识，为各地区的文化交流创造了条件。

动手实验 体验活字印刷

哇哦，你想不想试试活字印刷呀？我们一起试一下？

想！那太好了！我们一起试一下吧！

实验材料 橡皮、水彩笔、小刀、刷子、墨水、小碟子、纸张。

实验步骤

第1步

先用水彩笔在纸上写数字"2"，要用浓浓的水彩，然后立刻把橡皮压在"2"上。橡皮上会出现一个反着的"2"。用小刀沿着墨迹把这个"2"雕刻出来。用同样的方法雕刻出数字"0""2""4"。

第2步

将"2""0""2""4"排在一起，用小刷子给橡皮表面刷上墨水，再用白纸盖在橡皮上，用手轻轻压一压。

第3步

4块橡皮可以任意排列组合，再印一印，看看能出现多少种不同的数字组合吧。

原 理 揭 秘

活字印刷是一种传统的印刷技术，是中国古代劳动人民经过长期实践和研究发明的。通过可重复使用的金属或木质字模可以轻松、快速地印刷出很多不同的文字和图案。

4 奇妙的暗号——纸币、防伪技术

校园实践活动小小银行家拉开了帷幕，小学生们来到银行参观。哗啦啦，哗啦啦……银行的验钞机齐刷刷地验钞。

哇哦！验钞这么快呀！这个机器好高级呀。

哇哦！这样就可以鉴别真伪啦。

哇哦！被识破的假币跟真币一模一样呀。

哗哗哗！

我叫币小真，我们纸币的历史可悠久啦。我在北宋初年出现，那时候的我们是为方便货币流通，人们都叫我们"交子"。

哇哦，哇哦……

在"交子"出现前，大家买东西都不用钱吗？

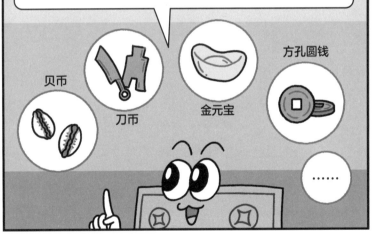

用钱呀，那个时候的钱，包括贝、玉、石、金、银、铜、铁、铅、锡及麻布、棉纸等不同材质，从贝币到银圆、铜圆，以方孔圆钱为主要货币形态，时间范围涵盖商朝到中华民国时期，上下四千年。

贝币

刀币

金元宝

方孔圆钱

……

能具体说说吗？

这就要先说说做纸币的纸啦。

你看，这是殷商时开始出现的文字记载，它们记录在龟甲、兽骨、青铜器上。

在这么硬的东西上写字，好难呀！

后来到了战国、秦汉，又有了竹简和木牍。

竹子和木头好像比骨头软一些了吧。

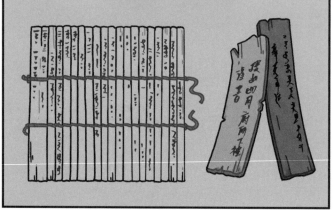

再后来又可以写在丝绸、面锦上了。

哦哦，这样就好多了吧。

可是，丝绸特别昂贵，普通人是用不起的。一块丝绸相当于好多袋大米呢。

好贵呀。

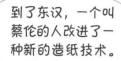

到了东汉，一个叫蔡伦的人改进了一种新的造纸技术。

蔡伦

然后就有我们现在用的纸了吗？

蔡伦使用麻头、树皮之类的废旧材料，通过反复舂捣、沤制脱胶、强碱蒸煮等工序，造出了纸。后来，他又使用了多种材料进行尝试，丰富了制纸材料。

麻头

树皮

······

加工工序

这样就能多造出一些纸了？

是的。后来到了隋唐，各种藤皮、桑树皮、竹子之类的原料也被用来造纸。

看起来好像什么都能用来造纸了。

最后是竹子让我们造出更多、更好用的纸。

竹子呀？

是啊，因为竹子长得又快又多。

砍下的竹子要先在水里浸泡100天，然后去掉竹子表面的粗壳和青皮，变成"竹麻"，再把竹麻放进石灰水里煮8天8夜。

这么麻烦呀？

① 浸泡

② 去粗壳和青皮

竹麻

③ 放进石灰水里煮8天8夜

④ 放进有柴灰浆液的木桶中，再蒸煮十几天

这才刚开始。接下来，把竹麻放进装有柴灰浆液的木桶中，封好口，放在火上蒸煮。蒸煮时，还要时不时地互换竹麻上下层的位置，淋上热灰浆，然后接着煮，煮上十几天，就可以拿出来春捣了。

⑤ 春捣

要煮那么久啊？

还要加上"多色套印"，虽然现在看到出土的古代币小真因为受到油墨氧化褪色影响，颜色都比较朴素，但是《宋朝事实·财用》中提到，纸钞上的图案其实是"朱墨交错"的。

哇哦！防伪技术真的是越来越复杂了呢。

九叠篆，是一种非常特别的字体，是篆书的一种。就像你现在写的字一样，九叠篆也是一种字体。这种字的特点之一是笔画复杂，每个字都有很多折，很难被模仿。在宋代官家用的多。这是防伪技术的一种。

后来的后来，防伪技术越来越高超。在货币流通过程中，官府也会对纸钞多重印压，每向下流通一次，就会加盖一个印，印上使用的字体也是特殊的且难以仿制的"九叠篆"。

九叠篆

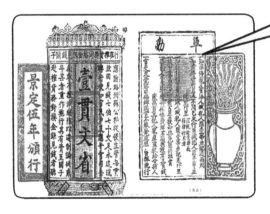

哇哦！真是太了不起啦！

最后还要加上法律保障。擅造假币可是影响国家金融安全的大事，历朝历代都有《钞法》来遏制假币。

纸钞发行之初，对造假的惩罚不过是打顿板子，到了北宋崇宁三年才正式立法，"私造交子纸者，罪以徒配"。只要造假钞，就要被迫离开家乡，被送到偏远之地做苦工。

好可怕。

在古代是有"验钞机"的，那就是民间辨钞人。辨钞人专门识别纸币的真假，普及有关知识，提高百姓辨别纸币真伪的能力。

真是太了不起！

动手实验 制作纸张

我想邀请你跟我一起做一张见证我们友谊的纸，好吗？

好呀好呀！

实验材料 | 纸巾、水、水盆、毛巾、盘子、勺子、水彩笔。

第1步

把纸巾撕成碎屑，放入盛有水的水盆中，搅拌均匀。

第2步

把毛巾铺在盘子上，将纸巾碎屑捞出，铺到毛巾上。

第3步

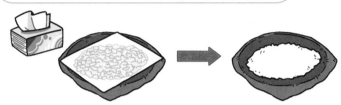

把铺满纸巾碎屑的毛巾拿出来，放到桌子上，盖上一层纸巾，压平，压出水分，放置晾干。

第4步

把晾干成型的纸取下来。

第5步

用水彩笔在纸上画上画。

原理揭秘

　　纸张的制作是一个复杂的过程，涉及多个环节和步骤。这一过程包含了材料学、化学和物理学等知识，其中，原料的选择、打浆的充分程度及晾干的速度和温度等因素都会影响纸张的质量。

5 神奇的"丝"维旋转——蚕、缫丝

在国际时装秀上，中国设计的丝绸旗袍，在灯光的照射下雍容华贵。台下相机灯光闪烁，每一个镜头都从不同角度记录丝绸的美。台下观众来自世界各地，都在赞叹、欢呼："哇哦！"

哇哦！中国的丝绸质感太棒啦！

咔嚓！

哇哦！中国的丝绸色彩太明丽啦！

咔嚓！

哇哦！中国的丝绸是穿越千年的美！

你真的太美啦！

继续我们的演变路程。接下来就是抽丝的过程啦。这个过程叫"缫丝"。

跟我来，我们去缫丝厂房。

头发丝

蚕丝

一个蚕茧的丝，全部展开后的长度可达到1 000~1 500米。

那么长呀。

缫丝的过程包括混茧、剥茧、选茧、煮茧、缫丝、复摇、整理、检验。

是呀。我们以桑叶为食，桑叶中含有水、蛋白质、糖类、脂肪等成分。

你刚刚说的蛋白质是什么呀？

蛋白质是人类身体中非常重要的"小助手"，它们能使人们的肌肉变强壮，让人们的头发和皮肤变得好看，还能帮助人们的身体修复受伤的地方。在动物的身体里也一样，蛋白质也是动物体内的重要组成部分。

是呀！

那么，蛋白质在蚕宝宝的体内会起到帮助形成蚕丝的作用，是吗？

我们把吃进去的桑叶进行消化分解，吸收桑叶中的蛋白质和糖类。而这些蛋白质和糖类继续在我们的体内变成绢丝蛋白质，绢丝蛋白质再形成绢丝液，绢丝液经过吐丝和凝固作用，就成了蚕丝。

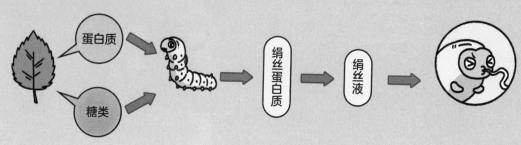

蛋白质

糖类

绢丝蛋白质

绢丝液

在我们吐丝的时候，结茧用的网格架，让蚕专心吐丝，然后形成...

蚕小丝们就用自己做的茧把自己包裹住了吗？

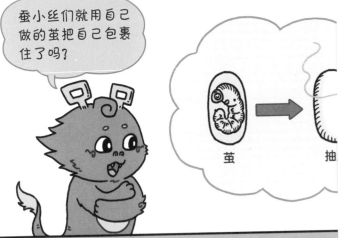

茧　　　抽

人们通常会在蚕化蛹后的 48 小时内把蚕茧变成蛾的过程中不够干燥，导致蚕茧不易保存。

我们一步一步来看。首先是混茧。从不同地区生产的蚕茧中选出茧质相近的，按工艺要求的比例进行混合。这样做的目的是扩大茧批、平衡茧质。这样可以让茧质更好，做出的丝绸结实耐用。

嗯嗯，有道理。

① 混茧

第二步是剥茧。就是剥去茧衣的工序。茧衣是蚕茧外围一层松乱的丝缕，细而脆弱，不能缫丝，所以要剥掉。

哦哦。

② 剥茧

第三步是选茧。选茧的目的是剥除掉不能缫丝的次茧。

嗯嗯。

③ 选茧

第四步是煮茧。煮茧是制丝工序中重要的一环。

利用水和热的作用，把蚕茧外围的丝胶适当膨润、泡软，蚕茧经煮茧后即可缫丝。蚕丝是由丝胶和丝素组成的，丝胶易溶于水，温度越高，在开水中越易与丝素自然分离开，这样就容易抽丝了。

④ 煮茧

这样啊。

原始的制丝方式是将鲜茧浸于热汤中，用手抽丝，卷于丝框上，周代已开始应用简单的缫丝工具。汉代以后，一些简易的缫丝机如木制手摇缫丝机、脚踏缫丝机等已在民间广泛应用。如今，在新疆、贵州还有用原始手工方法缫丝的作坊。

木制手摇缫丝机

脚踏缫丝机

哇哦，好了不起！

看！别眨眼！就这样，蚕茧从头至尾可以抽出一根长 1 000~1 500 米的蚕丝。将若干根蚕丝同时抽出并利用丝上本来带有的胶粘在一起，这就是缲丝。

⑤ 缲丝

哇哦！感觉好神奇呀！

终于找到了！

半小时后

这个神奇的过程可是不容易呢！因为需要从煮后的蚕茧上找到丝头，将几条蚕丝缠在一起绕在工具上。这个过程是很费时的，一个蚕茧需要花费半个多小时。

人们通过生产过程总结经验来类比相似的情况。由于抽丝是一个精细且耗时的过程，因此人们经常用抽丝来形容需要耐心等待的事，比如"病去如抽丝"，就是说等待痊愈是一个需要耐心的过程。

现在终于知道了这句话的意思。

接下来是复摇。复摇是将缫丝时卷绕在小筶上的生丝重新卷绕成大筶丝片状生丝的过程，实现放松卷装张力和定长、定重分绞，便于整理、检验和包装。

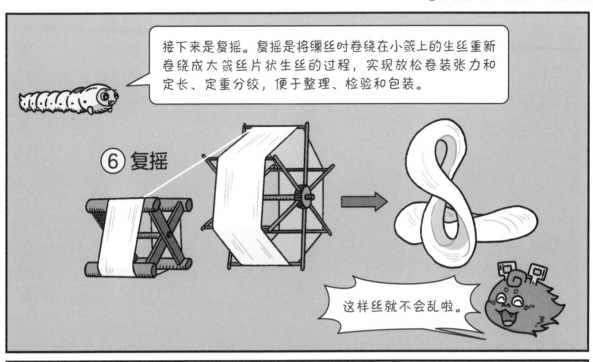

⑥ 复摇

这样丝就不会乱啦。

生丝还要进一步整理，目的是使丝片保持一定的外形，防止生丝纠缠，便于运输和储藏，同时可使丝色和品质统一，利于丝织。

⑦ 整理

越来越整齐啦。

⑧ 检验

最后一步就是检验。生丝通过质量检验评定等级和确定每件丝的重量。丝的品质检验又分为外观检验和器械检验。

丝的检验通过肉眼观察和仪器检测，最后得出生丝的各项品质指标。在古代没有仪器检测的时候，都是靠人的经验和眼力检验，是不可缺少的一步。

然后就可以纺织丝绸了是吗？

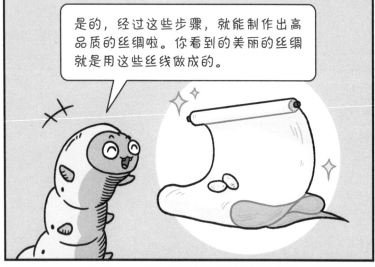

是的，经过这些步骤，就能制作出高品质的丝绸啦。你看到的美丽的丝绸就是用这些丝线做成的。

哇哦，真是太了不起啦！

1877 年，德国地质地理学家李希霍芬在其著作《中国》一书中，把"从公元前 114 年至公元 127 年间，中国与中亚、中国与印度间以丝绸贸易为媒介的这条西域交通道路"命名为"丝绸之路"。它的最初作用是运输中国生产的丝绸，在明朝时期成为综合贸易之路。

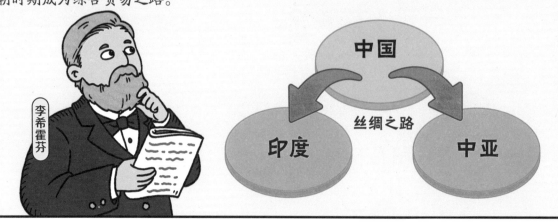

李希霍芬

中国

丝绸之路

印度　　　　中亚

　　原产于我国的丝绸，在古代西方国家十分名贵。在古希腊购丝绸、穿丝绸是富有和地位的象征。丝绸之路起源于西汉，是以西安为起点，经甘肃、新疆，到中亚、西亚，并连接地中海各国的陆上通道。源起于丝绸的古代丝绸之路成为人类历史上文明交流、互鉴、共存的典范，具有重要的历史意义。

动手实验 制作蚕丝扇

我带你体验一下制作蚕丝扇子吧，可以感受缫丝的过程。

太好啦！我真想试试呢。

实验材料 | 蚕茧、扇骨、锅、筷子、装饰贴。

实验步骤

第1步

将若干个蚕茧放在热水里煮2分钟，用筷子在锅中搅拌，找到丝头并挑出来。

第2步

将多个蚕茧的丝头捏在一起，剪掉前面粗的地方，绕到扇骨上。

第3步 旋转扇骨，使蚕丝均匀地缠绕在扇骨上，直到蚕丝全部缠完。

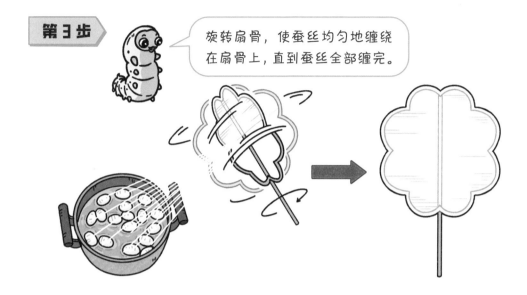

第4步 在做好的蚕丝扇上贴上装饰贴。

一把好看的蚕丝扇就做好了。

原 理 揭 秘

缫丝的原理主要基于丝素和丝胶在水中溶解性的差异，丝素是蚕丝的主要成分，不溶于水，而丝胶是包裹在丝素外面的蛋白质，易溶于水。缫丝的时候，人们会先用水煮蚕茧，在热水中，丝胶溶解分离后，易于抽丝。